1.000
Palabras en inglés

octopus
el pulpo

Berlitz Kids™
Berlitz Publishing Company, Inc.

Princeton   Mexico City   Dublin
Eschborn   Singapore

Contenido

The family
La familia

uncle
el tío

dad
el papá

mom
la mamá

aunt
la tía

to smile
sonreír

baby
el bebé

camera
la cámara

grandpa
el abuelo

grandma
la abuela

son
el hijo

daughter
la hija

dog
el perro

man
el hombre

woman
la mujer

necklace
el collar

bracelet
la pulsera

husband
el esposo

wife
la esposa

beard
la barba

to hug
abrazar

ring
el anillo

watch
el reloj

sister
la hermana

brother
el hermano

girl
la niña

puppy
el perrito

kitten
el gatito

boy
el niño

5

pot
la olla

frying pan
la sartén

burnt
quemado

toaster
el tostador

toast
el pan tostado

cookie
la galleta

freezer
el congelador

to cook
cocinar

to smell
oler

cheese
el queso

to boil
hervir

orange juice
el jugo de naranja

egg
el huevo

food
los alimentos

stove
la cocina

butter
la mantequilla

refrigerator
el refrigerador

In the living room
En la sala

picture
el cuadro

photograph
la fotografía

door
la puerta

headphones
los audífonos

CD player
el reproductor de CDs

to sing
cantar

piano
el piano

tape player
la grabadora

to play
tocar

cassette tape
el casete

compact disk
el disco compacto

vase
el florero

8

curtain
la cortina

birdcage
la jaula

cat
el gato

plant
la planta

television
la televisión

book shelf
el estante

VCR
la videograbadora

coffee table
la mesita de café

newspaper
el periódico

lamp
la lámpara

couch
el sofá

chair
el sillón

magazine
la revista

carpet
la alfombra

9

In the bedroom
En el dormitorio

desk
el escritorio

poster
el póster

slipper
la pantufla

doll
la muñeca

chair
la silla

on
encendida

pajamas
el pijama

music
la música

radio
el radio

light
la luz

dresser
el tocador

blanket
la manta

sheet
la sábana

stuffed animal
el animal de peluche

wall
la pared

light switch
el interruptor de luz

clothes hanger
la percha

window
la ventana

closet
el clóset

comic book
la revista de historietas

off
apagada

toys
los juguetes

sock
el calcetín

alarm clock
el reloj despertador

drawer
el cajón

to sleep
dormir

bed
la cama

pillow
la almohada

11

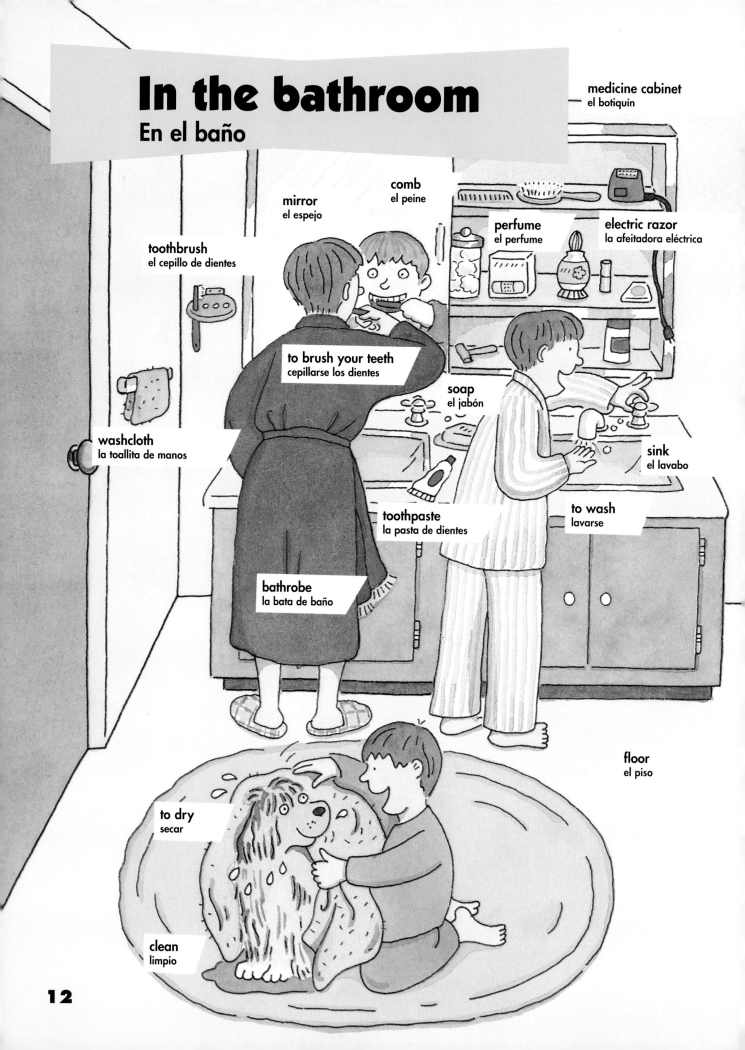

In the bathroom
En el baño

medicine cabinet
el botiquín

comb
el peine

mirror
el espejo

perfume
el perfume

electric razor
la afeitadora eléctrica

toothbrush
el cepillo de dientes

to brush your teeth
cepillarse los dientes

soap
el jabón

washcloth
la toallita de manos

sink
el lavabo

toothpaste
la pasta de dientes

to wash
lavarse

bathrobe
la bata de baño

floor
el piso

to dry
secar

clean
limpio

12

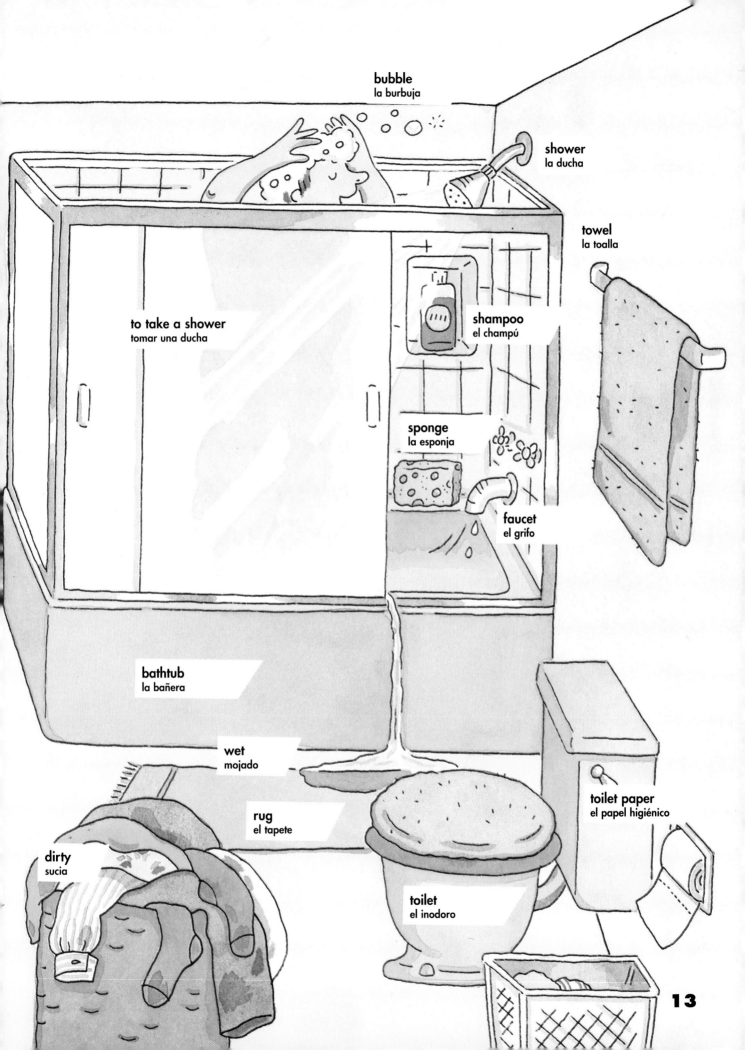

bubble
la burbuja

shower
la ducha

towel
la toalla

to take a shower
tomar una ducha

shampoo
el champú

sponge
la esponja

faucet
el grifo

bathtub
la bañera

wet
mojado

rug
el tapete

toilet paper
el papel higiénico

dirty
sucia

toilet
el inodoro

13

In the workshop
En el taller

rake
el rastrillo

drill
el taladro

lock
la cerradura

hole
el agujero

screw
el tornillo

stairs
las escaleras

flowerpot
la maceta

wheel
la rueda

to repair
arreglar

bicycle
la bicicleta

pliers
las pinzas

padlock
el candado

key
la llave

toolbox
la caja de herramientas

15

The birthday party
La fiesta de cumpleaños

to give
dar

to dance
bailar

game
el juego

balloon
el globo

dice
los dados

knife
el cuchillo

plate
el plato

candy
el caramelo

spoon
la cuchara

fork
el tenedor

candle
la vela

video camera
la videocámara

to blow
soplar

cake
el pastel

bow
el moño

present
el regalo

birthday card
la tarjeta de cumpleaños

smile
la sonrisa

to open
abrir

ribbon
la cinta

to unwrap
desenvolver

wrapping paper
el papel de envolver

17

At the shopping center
En el centro comercial

right
derecha

left
izquierda

to sell
vender

change
el cambio

sneaker
el tenis

shoe
el zapato

to zip up
subir el cierre

money
el dinero

dress
el vestido

to buy
comprar

blouse
la blusa

purse
el bolso

price
el precio

skirt
la falda

tie
la corbata

wallet
la billetera

glasses
los anteojos

hat
el sombrero

suit
el traje

belt
el cinturón

pocket
el bolsillo

jeans
los pantalones vaqueros

up
arriba

to try on
probarse

pants
los pantalones

T-shirt
la camiseta

down
abajo

store clerk
la vendedora

bargain
la ganga

customer
el cliente

shorts
los pantalones cortos

shirt
la camisa

19

At the supermarket
En el supermercado

onion
la cebolla

lettuce
la lechuga

watermelon
la sandía

tomato
el tomate

cabbage
la col

pear
la pera

lemon
el limón

plum
la ciruela

cauliflower
la coliflor

orange
la naranja

broccoli
el brécol

apple
la manzana

banana
la banana

garlic
el ajo

green pepper
el pimiento verde

grape
la uva

pineapple
la piña

celery
el apio

cherry
la cereza

carrot
la zanahoria

fruit
la fruta

vegetable
la verdura

to pay
pagar

meat
la carne

yogurt
el yogur

fish
el pescado

bean
el frijol

shelf
el estante

aisle
el pasillo

cereal
el cereal

rice
el arroz

shopping cart
el carrito

bag
la bolsa

21

In the restaurant
En el restaurante

bread
el pan

to trip
tropezar

spaghetti
los espaguetis

chicken
el pollo

to be hungry
tener hambre

dinner
la cena

bottle
la botella

table
la mesa

waitress
la mesera

cracker
la galleta

hot
caliente

to drink
beber

salad
la ensalada

glass
el vaso

napkin
la servilleta

soup
la sopa

water
el agua

tablecloth
el mantel

coffee
el café

dessert
el postre

to share
compartir

to pour
servir

menu
la carta

cup
la taza

waiter
el mesero

pepper
la pimienta

to eat
comer

to put
poner

to cut
cortar

salt
la sal

pizza
la pizza

In the classroom
En el salón de clase

bulletin board
el tablero

glue
el pegamento

book
el libro

computer
la computadora

crayon
el crayón

calendar
el calendario

pen
la pluma

dictionary
el diccionario

to read
leer

teacher
el maestro

number
el número

homework
la tarea

student
el estudiante

student
la estudiante

24

At the zoo
En el zoológico

light
ligero

heavy
pesado

hippopotamus
el hipopótamo

crocodile
el cocodrilo

elephant
el elefante

alligator
el caimán

guide
el guía

strong
fuerte

gorilla
el gorila

to hang
colgar

to reach
alcanzar

to scratch
rascar

to climb
subir

monkeys
los monos

chimpanzee
el chimpancé

26

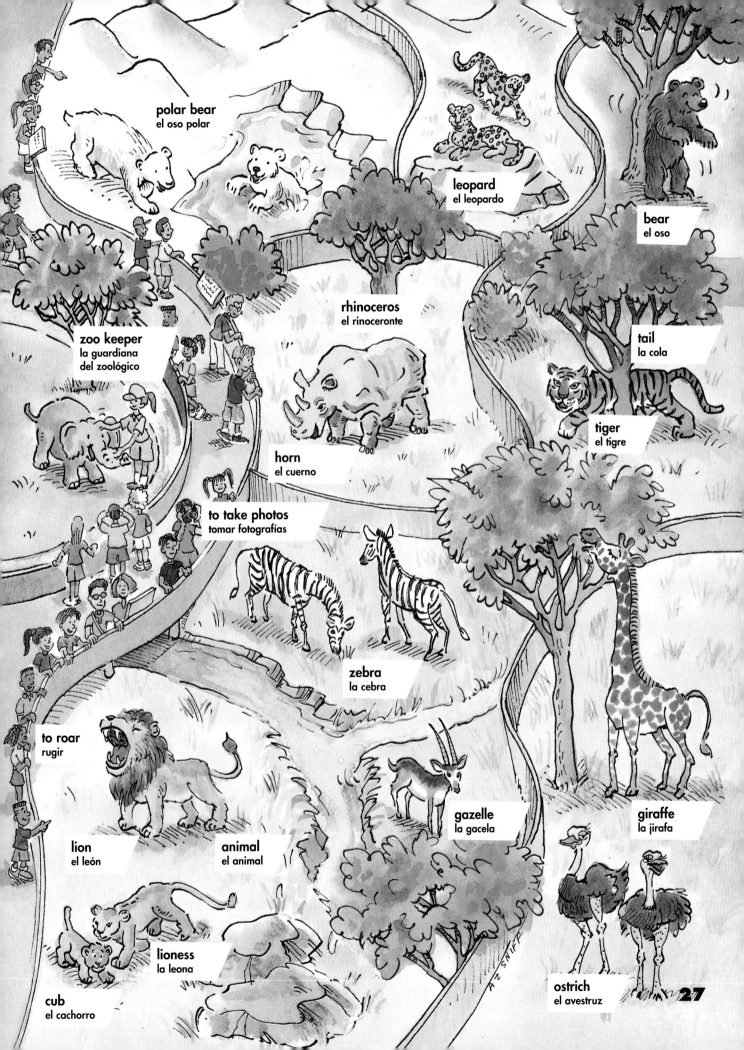

polar bear
el oso polar

leopard
el leopardo

bear
el oso

rhinoceros
el rinoceronte

tail
la cola

zoo keeper
la guardiana
del zoológico

tiger
el tigre

horn
el cuerno

to take photos
tomar fotografías

zebra
la cebra

to roar
rugir

gazelle
la gacela

giraffe
la jirafa

lion
el león

animal
el animal

lioness
la leona

ostrich
el avestruz

cub
el cachorro

In the park
En el parque

picnic basket
la canasta de picnic

to play hide and seek
jugar a las escondidas

ant
la hormiga

potato chips
las papas fritas

lemonade
la limonada

squirrel
la ardilla

picnic
el picnic

sandwich
el sándwich

picnic table
la mesa de picnic

birdhouse
la casita de pájaros

nut
la nuez

to sneeze
estornudar

bush
el arbusto

path
el camino

roller skates
los patines

kite
la cometa

to swing
columpiarse

playground
el campo de recreo

swing
el columpio

slide
el tobogán

to jump rope
saltar a la cuerda

fountain
la fuente

see-saw
el subibaja

sandbox
el cajón de arena

Frisbee®
el disco volador

to bark
ladrar

helmet
el casco

grass
el césped

skateboard
el monopatín

in-line skates
los patines en línea

29

At the amusement park
En el parque de diversiones

circus
el circo

clown
el payaso

roller coaster
la montaña rusa

magician
el mago

dizzy
mareado

ghost
el fantasma

tunnel of love
el túnel del amor

heart
el corazón

monster
el monstruo

haunted house
la casa de los fantasmas

concert
el concierto

loudspeakers
los altoparlantes

singer
la cantante

high
alto

Ferris wheel
la rueda gigante

microphone
el micrófono

bow
el arco

target
el blanco

low
bajo

arrow
la flecha

puppet
el títere

carousel
el carrusel

cotton candy
el algodón de azúcar

ticket
el boleto

line
la fila

31

In the hospital
En el hospital

medicine
la medicina

doctor
el doctor

nurse
la enfermera

wheelchair
la silla de ruedas

ambulance
la ambulancia

elevator
el ascensor

cast
el yeso

stretcher
la camilla

bandage
la venda

32

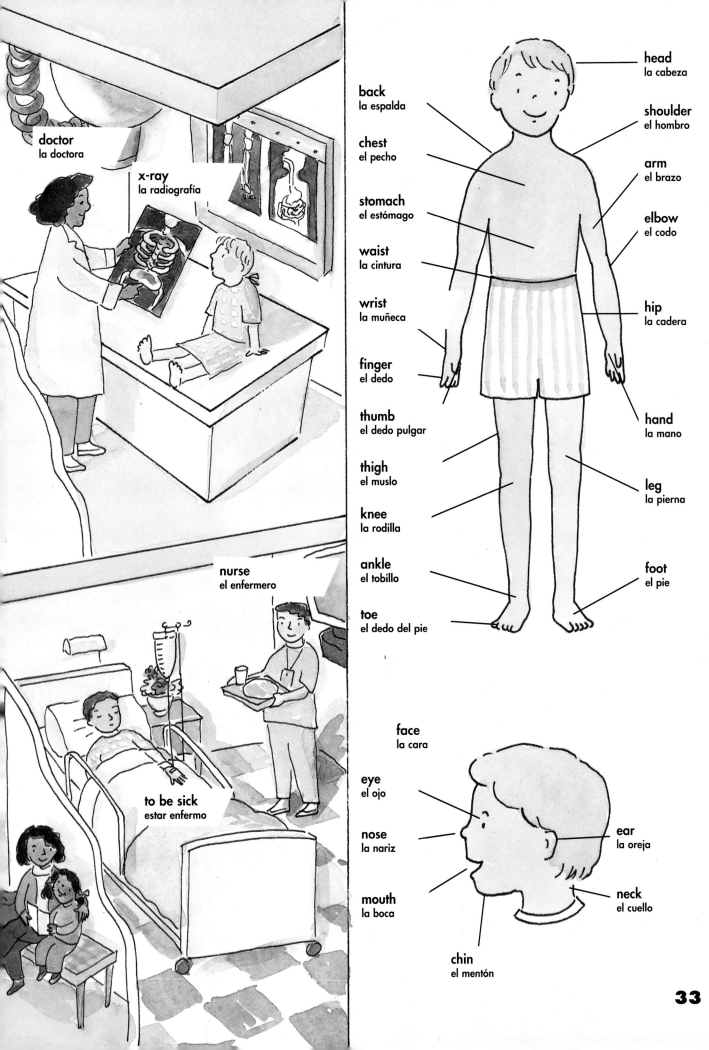

doctor
la doctora

x-ray
la radiografía

nurse
el enfermero

to be sick
estar enfermo

back
la espalda

chest
el pecho

stomach
el estómago

waist
la cintura

wrist
la muñeca

finger
el dedo

thumb
el dedo pulgar

thigh
el muslo

knee
la rodilla

ankle
el tobillo

toe
el dedo del pie

head
la cabeza

shoulder
el hombro

arm
el brazo

elbow
el codo

hip
la cadera

hand
la mano

leg
la pierna

foot
el pie

face
la cara

eye
el ojo

nose
la nariz

mouth
la boca

ear
la oreja

neck
el cuello

chin
el mentón

33

At the museum
En el museo

star
la estrella

Earth
la Tierra

rocket
el cohete

astronaut
el astronauta

white
blanco

moon
la luna

guard
el guardia

brown
marrón

dinosaur
el dinosaurio

skeleton
el esqueleto

light blue
azul claro

art
el arte

painting
el cuadro

purple
morado

pink
rosa

black
negro

orange
anaranjado

polka dots
los lunares

green
verde

red
rojo

dark blue
azul oscuro

stripes
las rayas

gray
gris

sculpture
la escultura

yellow
amarillo

exit
la salida

pyramid
la pirámide

exhibit
la exposición

entrance
la entrada

mummy
la momia

35

At the beach
En la playa

lighthouse
el faro

island
la isla

wave
la ola

surfboard
la tabla de surf

to splash
salpicar

diving mask
la máscara de buceo

snorkel
el esnórquel

fins
las aletas

to swim
nadar

ball
la pelota

suntan lotion
la loción bronceadora

to relax
descansar

drink
la bebida

water gun
la pistola de agua

seashell
la concha marina

to play
jugar

sandal
la sandalia

sunglasses
los anteojos de sol

cooler
la nevera portátil

sun
el sol

sailboat
el velero

palmtree
la palmera

to dive
tirarse al agua

seagull
la gaviota

rock
la roca

sand castle
el castillo de arena

swimsuit
el traje de baño

sand
la arena

bucket
el balde

volleyball
el voleibol

lifeguard
el salvavidas

net
la red

37

The city
La ciudad

gas station
la gasolinera

van
la camioneta

good-bye
adiós

hotel
el hotel

taxi
el taxi

gas
la gasolina

truck
el camión

subway
el metro

highway
la autopista

store
la tienda

traffic light
el semáforo

to walk
caminar

car
el automóvil

38

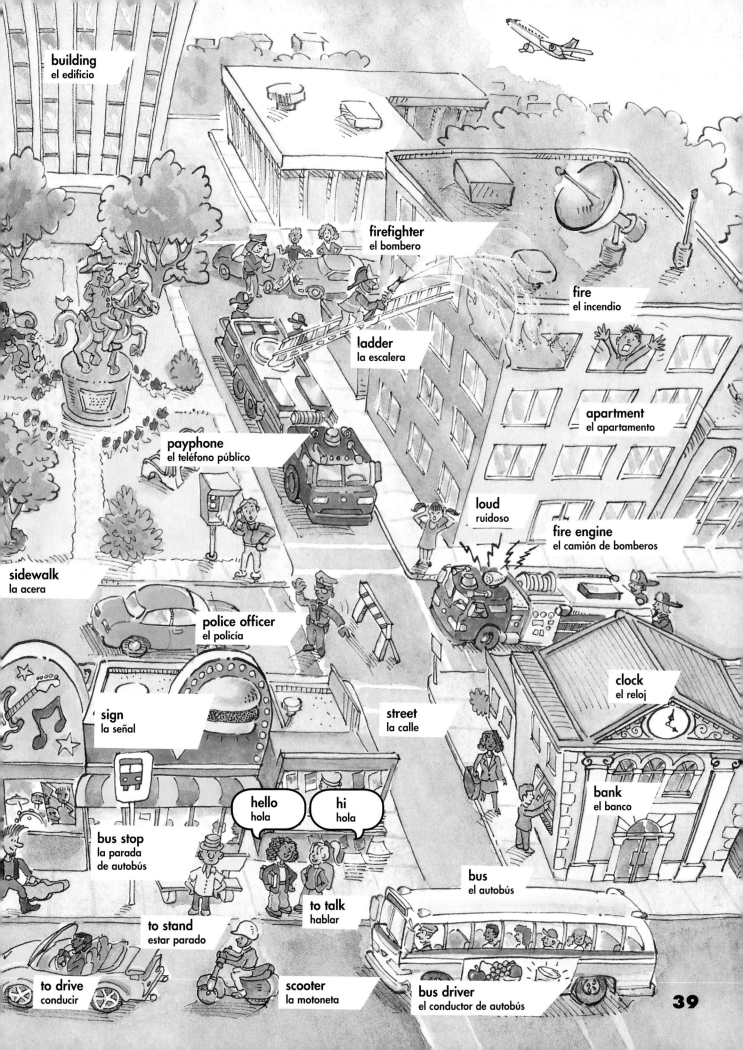

39

The town
El pueblo

roof
el techo

house
la casa

grocery store
la tienda de comestibles

parade
el desfile

garbage can
el basurero

to paint
pintar

paintbrush
el pincel

painter
el pintor

tooth
el diente

dentist
el dentista

scissors
las tijeras

barbershop
la peluquería

haircut
el corte de pelo

barber
el peluquero

flag
la bandera

town hall
el ayuntamiento

post office
la oficina de correos

letter
la carta

band
la banda

mailbox
el buzón

to stop
detenerse

motorcycle
la motocicleta

bench
la banca

ice cream
el helado

chocolate   el chocolate
vanilla   la vainilla
strawberry   la fresa

movie theater
el cine

movie
la película

ice cream shop
la heladería

41

The countryside
El campo

cloudy
nublado

lightning
el rayo

storm
la tormenta

to rain
llover

rain
la lluvia

cabin
la cabaña

wind
el viento

leaf
la hoja

umbrella
el paraguas

raincoat
el impermeable

tree
el árbol

cloud
la nube

rainbow
el arco iris

mountain
la montaña

tunnel
el túnel

bridge
el puente

train
el tren

butterfly
la mariposa

rabbit
el conejo

river
el río

fox
el zorro

hill
la colina

field
el campo

bird
el pájaro

flower
la flor

43

At the farm
En la granja

shepherd
el pastor

sheep
la oveja

goat
la cabra

lamb
el cordero

colt
el potro

horse
el caballo

calf
el ternero

bull
el toro

cow
la vaca

fence
la cerca

frog
la rana

duck
el pato

well
el pozo

pond
el estanque

goose
el ganso

stable
el establo

pig
el cerdo

saddle
la silla de montar

hay
el heno

to ride
montar a caballo

44

farmer
el granjero

tractor
el tractor

scarecrow
el espantapájaros

wheat
el trigo

corn
el maíz

garden
el jardín

gardener
la jardinera

hose
la manguera

barn
el granero

turkey
el pavo

rooster
el gallo

chicken coop
el gallinero

mouse
el ratón

hen
la gallina

barrel
el barril

45

Camping
En el campamento

eagle
el águila

porcupine
el puerco espín

deer
el ciervo

binoculars
los binoculares

waterfall
la cascada

nest
el nido

beaver
el castor

cap
la gorra

flashlight
la linterna

map
el mapa

walking stick
el bastón

tent
la tienda

snake
la serpiente

sleeping bag
el saco de dormir

skunk
el zorrillo

smoke
el humo

matches
los fósforos

raccoon
el mapache

grill
la parrilla

campfire
la fogata

trail
el sendero

47

Winter sports
Los deportes de invierno

sweater
el suéter

to break
romperse

to fall
caerse

to ski
esquiar

snow
la nieve

snowman
el muñeco de nieve

goggles
los anteojos protectores

to clap
aplaudir

jacket
la chaqueta

skis
los esquís

boots
las botas

shovel
la pala

48

to shout
gritar

sled
el trineo

gloves
los guantes

snowboard
la tabla de esquiar

scarf
la bufanda

mittens
los mitones

snowball
la bola de nieve

to be cold
tener frío

coat
el abrigo

ice
el hielo

goal
la portería

goalie
el portero

to ice skate
patinar sobre hielo

hockey stick
el palo de hockey

ice skates
los patines de hielo

hockey player
el jugador de hockey

puck
el disco de goma

49

Summer sports
Los deportes de verano

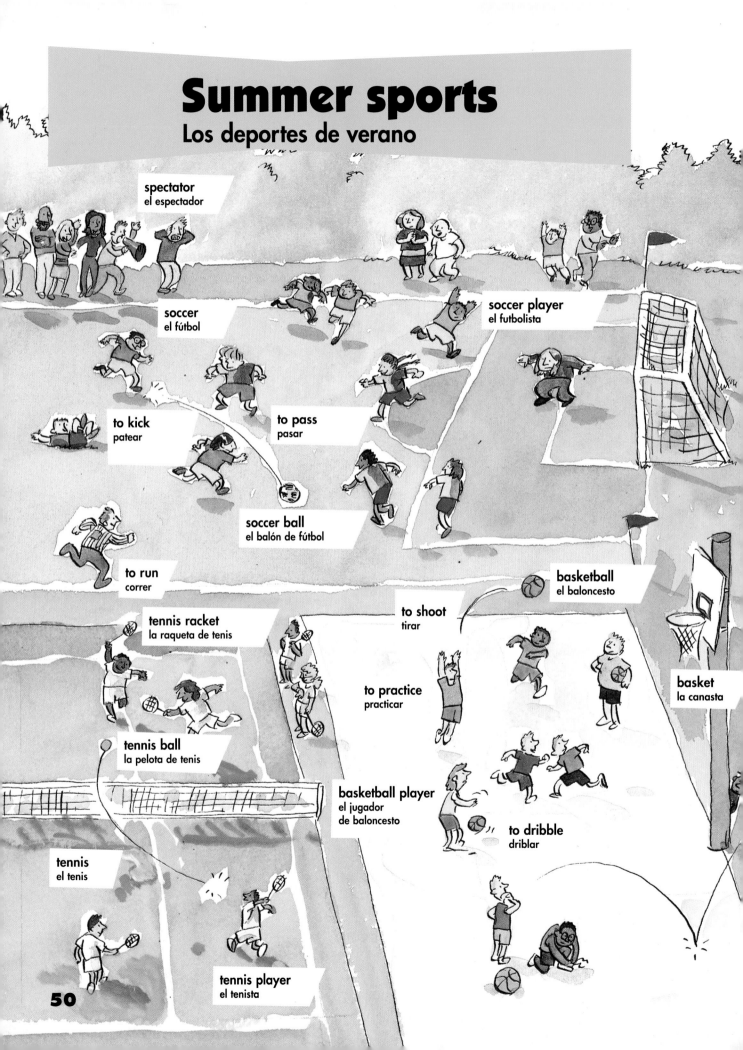

spectator
el espectador

soccer
el fútbol

soccer player
el futbolista

to kick
patear

to pass
pasar

soccer ball
el balón de fútbol

to run
correr

basketball
el baloncesto

to shoot
tirar

tennis racket
la raqueta de tenis

to practice
practicar

basket
la canasta

tennis ball
la pelota de tenis

basketball player
el jugador
de baloncesto

to dribble
driblar

tennis
el tenis

tennis player
el tenista

diving board
el trampolín

life preserver
el salvavidas

swimming pool
la piscina

baseball
el béisbol

to throw
lanzar

to catch
agarrar

to hit
pegar

baseball bat
el bate de béisbol

baseball glove
el guante de béisbol

coach
el entrenador

base
la base

baseball player
el beisbolista

team
el equipo

51

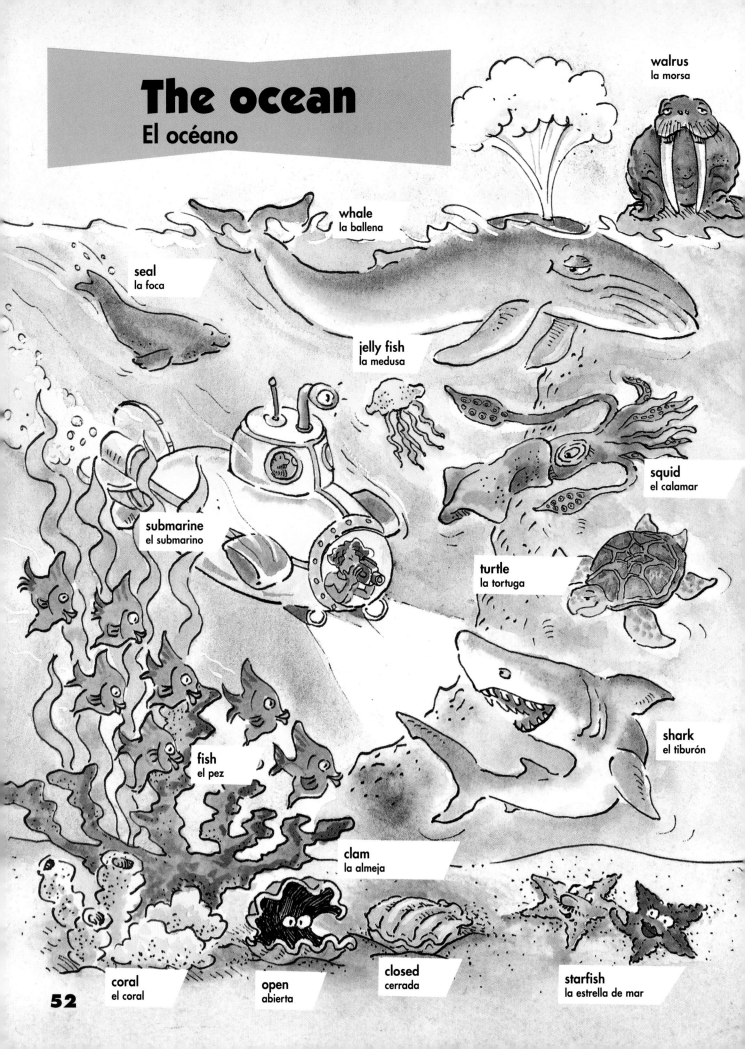

The ocean
El océano

walrus
la morsa

whale
la ballena

seal
la foca

jelly fish
la medusa

squid
el calamar

submarine
el submarino

turtle
la tortuga

shark
el tiburón

fish
el pez

clam
la almeja

coral
el coral

open
abierta

closed
cerrada

starfish
la estrella de mar

dolphin
el delfín

sunny
soleado

fisherman
el pescador

to fish
pescar

tuna fish
el atún

worm
la lombriz

seahorse
el caballito de mar

crab
el cangrejo

to scuba dive
bucear

scuba diver
el buzo

swordfish
el pez espada

treasure
el tesoro

cave
la cueva

shiny
brillante

lobster
la langosta

octopus
el pulpo

53

In the enchanted forest
En el bosque encantado

forest
el bosque

owl
el búho

broom
la escoba

witch
la bruja

wolf
el lobo

dragon
el dragón

beautiful
bella

handsome
guapo

prince
el príncipe

princess
la princesa

54

castle
el castillo

knight
el caballero

shield
el escudo

sword
la espada

fairy
el hada

unicorn
el unicornio

wand
la varita mágica

giant
el gigante

crown
la corona

happy
feliz

king
el rey

queen
la reina

elf
el duende

big
grande

small
pequeño

55

Travel
De viaje

to travel
viajar

cruise ship
el crucero

pilot
el piloto

airport
el aeropuerto

to land
aterrizar

tugboat
el remolcador

suitcase
la maleta

boat
el bote

customs
la aduana

traffic
el tráfico

56

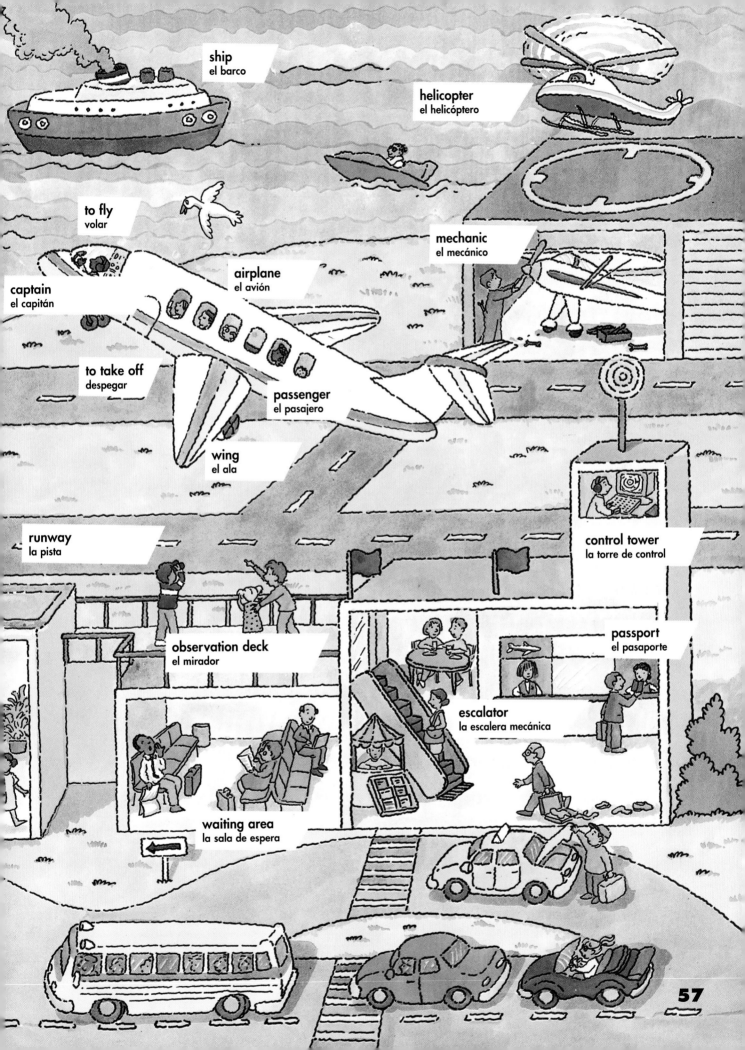

ship
el barco

helicopter
el helicóptero

to fly
volar

mechanic
el mecánico

airplane
el avión

captain
el capitán

to take off
despegar

passenger
el pasajero

wing
el ala

control tower
la torre de control

runway
la pista

passport
el pasaporte

observation deck
el mirador

escalator
la escalera mecánica

waiting area
la sala de espera

57

More Words
Más palabras

Words to describe	Palabras para describir
angry	enojado, enojada
bored	aburrido, aburrida
busy	ocupado, ocupada
difficult	difícil
easy	fácil
hard	duro, dura
little	pequeño, pequeña
magenta	magenta
narrow	angosto, angosta
plaid	de cuadros a la escocesa
quiet	callado, callada
sad	triste
short	corto, corta
straight	recto, recta
tall	alto, alta
thick	grueso, gruesa
thin	delgado, delgada
tired	cansado, cansada
warm	tibio, tibia
wide	ancho, ancha

Nouns	Sustantivos
alphabet	el alfabeto
answer	la respuesta
autumn	el otoño
battery	la pila
bone	el hueso
bottom	el fondo
box	la caja
breakfast	el desayuno
candy bar	la golosina en barra

ceiling	el techo
chapter	el capítulo
circle	el círculo
clay	la arcilla
clothes	la ropa
color	el color
cowboy	el vaquero
dining room	el comedor
end	el fin
envelope	el sobre
grade	el grado
guitar	la guitarra
gum	el chicle
heat	el calor
hero	el héroe
lunch	el almuerzo
name	el nombre
peanut	el cacahuate
promise	la promesa
question	la pregunta
spring	la primavera
stamp	la estampilla
staples	las grapas
stool	el taburete
story	el cuento
summer	el verano
surprise	la sorpresa
tea	el té
test	la prueba
top	la parte superior
triangle	el triángulo
underwear	la ropa interior
vacation	las vacaciones
violin	el violín
winter	el invierno
zipper	el cierre

Verbs	Verbos
can	poder
to build	construir
to close	cerrar
to cry	llorar
to do	hacer
to draw	dibujar
to dream	soñar
to go	ir
to guess	adivinar
to have	tener
to hear	oír
to kiss	besar
to like	gustar
to live	vivir
to listen	escuchar
to love	amar
to make	hacer
to pull	jalar
to push	empujar
to see	ver
to sew	coser
to study	estudiar
to take	tomar
to tie	atar
to touch	tocar
to wake up	despertarse
to want	querer
to wave	saludar
to wear	ponerse
to whistle	silbar

Numbers	Números
zero	cero
one	uno
two	dos
three	tres
four	cuatro
five	cinco
six	seis
seven	siete
eight	ocho
nine	nueve
ten	diez
eleven	once
twelve	doce
thirteen	trece
fourteen	catorce
fifteen	quince
sixteen	dieciséis
seventeen	diecisiete
eighteen	dieciocho
nineteen	diecinueve
twenty	veinte
thirty	treinta
forty	cuarenta
fifty	cincuenta
sixty	sesenta
seventy	setenta
eighty	ochenta
ninety	noventa
one hundred	cien
two hundred	doscientos
three hundred	trescientos
four hundred	cuatrocientos
five hundred	quinientos
six hundred	seiscientos
seven hundred	setecientos
eight hundred	ochocientos
nine hundred	novecientos
one thousand	mil
one million	un millón

Ordinal numbers / Los números ordinales

Ordinal numbers	Los números ordinales
first	primero
second	segundo
third	tercero
fourth	cuarto
fifth	quinto
sixth	sexto
seventh	séptimo
eighth	octavo
ninth	noveno
tenth	décimo

Days / Los días

Days	Los días
Sunday	domingo
Monday	lunes
Tuesday	martes
Wednesday	miércoles
Thursday	jueves
Friday	viernes
Saturday	sábado

Months / Los meses

Months	Los meses
January	enero
February	febrero
March	marzo
April	abril
May	mayo
June	junio
July	julio
August	agosto
September	septiembre
October	octubre
November	noviembre
December	diciembre

Elements of time / Expresiones de tiempo

Elements of time	Expresiones de tiempo
second	el segundo
minute	el minuto
hour	la hora
day	el día
week	la semana
month	el mes
year	el año
yesterday	ayer
today	hoy
tomorrow	mañana
early	pronto
late	tarde

Useful words / Palabras útiles

Useful words	Palabras útiles
and	y
at	en
between	entre
but	pero
he	él
her	su (de ella)
hers	suyo/a (de ella)
his	su (de él)
his	suyo/a (de él)
I	yo
in	en, dentro
it	ello (neutro)
its	suyo/a (de ello)
maybe	quizás
mine	mío
Mr.	señor
Mrs.	señora
Ms.	señorita / señora
my	mi
no	no
of	de
on	encima de
our	nuestro/a
ours	nuestro/a
out	fuera
over	sobre
she	ella
their	su (de ellos)
theirs	suyo/a (de ellos)
they	ellos/as
to	a, hacia
under	debajo
we	nosotros/as
with	con
yes	sí

Índice

comic book, la revista de historietas, 11
compact disk, el disco compacto, 8
computer, la computadora, 24
concert, el concierto, 31
control tower, la torre de control, 57
cook (to), cocinar, 7
cookie, la galleta, 7
cooler, la nevera portátil, 36
coral, el coral, 52
corn, el maíz, 45
cotton candy, el algodón de azúcar, 31
couch, el sofá, 9
countryside, el campo, 42
cow, la vaca, 44
crab, el cangrejo, 53
cracker, la galleta, 22
crayon, el crayón, 24
crocodile, el cocodrilo, 26
crown, la corona, 55
cruise ship, el crucero, 56
cub, el cachorro, 27
cup, la taza, 23
cupboard, la alacena, 6
curtain, la cortina, 9
customer, el cliente, la clienta, 19
customs, la aduana, 56
cut (to), cortar, 23

D

dad, el papá, 4
dance (to), bailar, 16
dark blue, azul oscuro, 35
daughter, la hija, 4
deer, el ciervo, 46
dentist, el/la dentista, 40
desk, el escritorio, 10
dessert, el postre , 23
dice, los dados, 16
dictionary, el diccionario, 24
dinner, la cena, 22
dinosaur, el dinosaurio, 34
dirty, sucio, sucia, 13
dishes, la vajilla, 6
dive (to), tirarse al agua, 37
divide (to), dividir, 25
diving board, el trampolín, 51
diving mask, la máscara de buceo, 36
dizzy, mareado, mareada, 30
doctor, la doctora, 33

doctor, el doctor, 32
dog, el perro, 4
doll, la muñeca, 10
dolphin, el delfín, 53
door, la puerta, 8
down, abajo, 19
dragon, el dragón, 54
drawer, el cajón, 11
dress, el vestido, 18
dresser, el tocador, 10
dribble (to), driblar, 50
drill, el taladro, 14
drink, la bebida, 36
drink (to), beber, 22
drive (to), conducir, 39
dry (to), secar, 12
duck, el pato, 44

E

eagle, el águila, 46
ear, la oreja, 33
Earth, la Tierra, 34
eat (to), comer, 23
egg, el huevo, 7
elbow, el codo, 33
electric razor, la afeitadora eléctrica, 12
electric socket, el enchufe, 15
elephant, el elefante, 26
elevator, el ascensor, 32
elf, el duende, 55
enchanted, encantado, encantada, 54
entrance, la entrada, 35
eraser, el borrador, 25
escalator, la escalera mecánica, 57
exhibit, la exposición, 35
exit, la salida, 35
eye, el ojo, 33

F

face, la cara, 33
fairy, el hada, 55
fall (to), caerse, 48
family, la familia, 4
farm, la granja, 44
farmer, el granjero, la granjera, 45
faucet, el grifo, 13
fence, la cerca, 44
Ferris wheel, la rueda gigante, 31
field, el campo, 43
finger, el dedo, 33

fins, las aletas, 36
fire, el incendio, 39
fire engine, el camión de bomberos, 39
firefighter, el/la bombero, 39
fish, el pescado, 21
fish, el pez, 52
fish (to), pescar, 53
fisherman, el pescador, 53
flag, bandera, 41
flashlight, la linterna, 46
floor, el piso, 12
flour, la harina, 6
flower, la flor, 43
flowerpot, la maceta, 14
fly (to), volar, 57
food, los alimentos, 7
foot, el pie, 33
forest, el bosque, 54
fork, el tenedor, 16
fountain, la fuente, 29
fox, el zorro, 43
freezer, el congelador, 7
Frisbee®, el disco volador, 29
frog, la rana, 44
fruit, la fruta, 20
frying pan, la sartén, 7

G

game, el juego, 16
garbage can, el basurero, 40
garden, el jardín, 45
gardener, el jardinero, la jardinera, 45
garlic, el ajo, 20
gas, la gasolina, 38
gas station, la gasolinera, 38
gazelle, la gacela, 27
ghost, el fantasma, 30
giant, el gigante, 55
giraffe, la jirafa, 27
girl, la niña, 5
give (to), dar, 16
glass, el vaso, 22
glasses, los anteojos, 19
globe, el globo, 25
gloves, los guantes, 49
glue, el pegamento, 24
goal, la portería, 49
goalie, el portero, la portera, 49
goat, la cabra, 44
goggles, los anteojos protectores, 48
good-bye, adiós, 38
goose, el ganso, 44
gorilla, el gorila, 26

grandma, la abuela, 4
grandpa, el abuelo, 4
grape, la uva, 20
grass, el césped, 29
gray, gris, 35
green, verde, 35
green pepper, el pimiento verde, 20
grill, la parrilla, 47
grocery store, la tienda de comestibles, 40
guard, el/la guardia, 34
guide, el/la guía, 26

H

haircut, el corte de pelo, 40
hammer, el martillo, 15
hand, la mano, 33
handsome, guapo, 54
hang (to), colgar, 26
happy, feliz, 55
hat, el sombrero, 19
haunted house, la casa de los fantasmas, 30
hay, el heno, 44
head, la cabeza, 33
headphones, los audífonos, 8
heart, el corazón, 30
heavy, pesado, pesada, 26
helicopter, el helicóptero, 57
hello, hola, 39
helmet, el casco, 29
hen, la gallina, 45
hi, hola, 39
high, alto, alta, 31
highway, la autopista, 38
hill, la colina, 43
hip, la cadera, 33
hippopotamus, el hipopótamo, 26
hit (to), pegar, 51
hockey player, el jugador/la jugadora de hockey, 49
hockey stick, el palo de hockey, 49
hole, el agujero, 14
homework, la tarea, 24
honey, la miel, 6
horn, el cuerno, 27
horse, el caballo, 44
hose, la manguera, 45
hospital, el hospital, 32
hot, caliente, 22
hotel, el hotel, 38
house, la casa, 40
hug (to), abrazar, 5
husband, el esposo, 5

I

ice, el hielo, 49
ice cream, el helado, 41
ice cream shop, la heladería, 41
ice skate (to), patinar sobre hielo, 49
ice skates, los patines de hielo, 49
in-line skates, los patines en línea, 29
island, la isla, 36

J

jacket, la chaqueta, 48
jeans, los pantalones vaqueros, 19
jelly fish, la medusa, 52
jump rope (to), saltar a la cuerda, 29

K

key, la llave, 14
kick (to), patear, 50
king, el rey, 55
kitchen, la cocina, 6
kite, la cometa, 29
kitten, el gatito, 5
knee, la rodilla, 33
knife, el cuchillo, 16
knight, el caballero, 55

L

ladder, la escalera, 39
lamb, el cordero, 44
lamp, la lámpara, 9
land (to), aterrizar, 56
leaf, la hoja, 42
left, izquierdo, izquierda, 18
leg, la pierna, 33
lemon, el limón, 20
lemonade, la limonada, 28
leopard, el leopardo, 27
letter, la carta, 41
lettuce, la lechuga, 20
life preserver, el salvavidas, 51
lifeguard, el/la salvavidas, 37
light, la luz, 10
light, ligero, ligera, 26
light blue, azul claro, 35
light switch, el interruptor de luz, 11
lighthouse, el faro, 36
lightning, el rayo, 42
line, la fila, 31
lion, el león, 27
lioness, la leona, 27
living room, la sala, 8
lobster, la langosta, 53
lock, la cerradura, 14
loud, ruidoso, ruidosa, 39
loudspeakers, los altoparlantes, 31
low, bajo, baja, 31

M

magazine, la revista, 9
magician, el mago, la maga, 30
mailbox, el buzón, 41
man, el hombre, 5
map, el mapa, 46
marker, el marcador, 25
matches, los fósforos, 47
math, las matemáticas, 25
measuring cup, la taza de medir, 6
meat, la carne, 21
mechanic, el mecánico, la mecánica, 57
medicine, la medicina, 32
medicine cabinet, el botiquín, 12
menu, la carta, 23
microphone, el micrófono, 31
microwave oven, el microondas, 6
milk, la leche, 6
mirror, el espejo, 12
mittens, los mitones, 49
mix (to), mezclar, 6
mom, la mamá, 4
money, el dinero, 18
monkeys, los monos, 26
monster, el monstruo, 30
moon, la luna, 34
motorcycle, la motocicleta, 41
mountain, la montaña, 43
mouse, el ratón, 45
mouth, la boca, 33
movie, la película, 41
movie theater, el cine, 41
multiply (to), multiplicar, 25
mummy, la momia, 35
museum, el museo, 34
music, la música, 10

N

nail, el clavo, 15
napkin, la servilleta, 22
neck, el cuello, 33
necklace, el collar, 5
nest, el nido, 46
net, la red, 37
newspaper, el periódico, 9
nose, la nariz, 33
notebook, el cuaderno, 25
number, el número, 24
nurse, la enfermera, 32
nurse, el enfermero, 33
nut, la nuez, 28

O

observation deck, el mirador, 57
ocean, el océano, 52
octopus, el pulpo, 53
off (light switch), apagado, apagada, 11
on (light switch), encendido, encendida, 10
onion, la cebolla, 20
open, abierto, abierta, 52
open (to), abrir, 17
orange, anaranjado, anaranjada, 35
orange, la naranja, 20
orange juice, el jugo de naranja, 7
ostrich, el avestruz, 27
ouch!, ¡ay!, 15
oven, el horno, 6
owl, el búho, 54

P

padlock, el candado, 14
paint (to), pintar, 40
paintbrush, el pincel, 40
painter, el pintor, la pintora, 40
painting, el cuadro, 35
pajamas, el pijama, 10
palmtree, la palmera, 37
pants, los pantalones, 19
parade, el desfile, 40
park, el parque, 28
pass (to), pasar, 50
passenger, el pasajero, la pasajera, 57
passport, el pasaporte, 57
path, el camino, 28
pay (to), pagar, 20
payphone, el teléfono público, 39
pear, la pera, 20
pen, la pluma, 24
pencil, el lápiz, 25
pencil case, el estuche, 25
pencil sharpener, el sacapuntas, 25
pepper, la pimienta, 23
perfume, el perfume, 12
photograph, la fotografía, 8
piano, el piano, 8
picnic, el picnic, 28
picnic basket, la canasta de picnic, 28
picnic table, la mesa de picnic, 28
picture, el cuadro, 8
pig, el cerdo, 44
pillow, la almohada, 11
pilot, el/la piloto, 56
pineapple, la piña, 20
pink, rosa, 35
pizza, la pizza, 23
plant, la planta, 9
plate, el plato, 16
play (to), tocar, 8
play (to), jugar, 36
play hide and seek (to), jugar a las escondidas, 28
playground, el campo de recreo, 29
pliers, las pinzas, 14
plum, la ciruela, 20
pocket, el bolsillo, 19
polar bear, el oso polar, 27
police officer, el/la policía, 39
polka dots, los lunares, 35
pond, el estanque, 44
porcupine, el puerco espín, 46
post office, la oficina de correos, 41
poster, el póster, 10
pot, la olla, 7
potato chips, las papas fritas, 28
pour (to), servir, 23
practice (to), practicar, 50
present, el regalo, 17
price, el precio, 18
prince, el príncipe, 54
princess, la princesa, 54
puck, el disco de goma, 49
puppet, el títere, 31

puppy, el perrito, 5
purple, morado, morada, 35
purse, el bolso, 18
put (to), poner, 23
pyramid, la pirámide, 35

Q

queen, la reina, 55

R

rabbit, el conejo, 43
raccoon, el mapache, 47
radio, el radio, 10
rain, la lluvia, 42
rain (to), llover, 42
rainbow, el arco iris, 43
raincoat, el impermeable, 42
rake, el rastrillo, 14
reach (to), alcanzar, 26
read (to), leer, 24
red, rojo, roja, 35
refrigerator, el refrigerador, 7
relax (to), descansar, 36
repair (to), arreglar, 14
restaurant, el restaurante, 22
rhinoceros, el rinoceronte, 27
ribbon, la cinta, 17
rice, el arroz, 21
ride (to), montar a caballo, 44
right, derecho, derecha, 18
ring, el anillo, 5
river, el río, 43
roar (to), rugir, 27
roast (to), asar, 6
rock, la roca, 37
rocket, el cohete, 34
roller coaster, la montaña rusa, 30
roller skates, los patines, 28
roof, el techo, 40
rooster, el gallo, 45
rug, el tapete, 13
ruler, la regla, 15
run (to), correr, 50
runway, la pista, 57

S

saddle, la silla de montar, 44
sailboat, el velero, 37
salad, la ensalada, 22
salt, la sal, 23
sand, la arena, 37

sand castle, el castillo de arena, 37
sandal, la sandalia, 36
sandbox, el cajón de arena, 29
sandwich, el sándwich, 28
saw, la sierra, 15
scarecrow, el espantapájaros, 45
scarf, la bufanda, 49
scissors, las tijeras, 40
scooter, la motoneta, 39
scratch (to), rascar, 26
screw, el tornillo, 14
screwdriver, el destornillador, 15
scuba dive (to), bucear, 53
scuba diver, el/la buzo, 53
sculpture, la escultura, 35
seagull, la gaviota, 37
seahorse, el caballito de mar, 53
seal, la foca, 52
seashell, la concha marina, 36
see-saw, el subibaja, 29
sell (to), vender, 18
shampoo, el champú, 13
share (to), compartir, 23
shark, el tiburón, 52
sheep, la oveja, 44
sheet, la sábana, 10
shelf, el estante, 21
shepherd, el pastor, 44
shield, el escudo, 55
shiny, brillante, 53
ship, el barco, 57
shirt, la camisa, 19
shoe, el zapato, 18
shoot (to), tirar, 50
shopping cart, el carrito, 21
shopping center, el centro comercial, 18
shorts, los pantalones cortos, 19
shoulder, el hombro, 33
shout (to), gritar, 49
shovel, la pala, 48
shower, la ducha, 13
sidewalk, la acera, 39
sign, la señal, 39
sing (to), cantar, 8
singer, el/la cantante, 31
sink, el lavabo, 12
sister, la hermana, 5
skateboard, el monopatín, 29
skeleton, el esqueleto, 34

ski (to), esquiar, 48
skirt, la falda, 18
skis, los esquís, 48
skunk, el zorrillo, 47
sled, el trineo, 49
sleep (to), dormir, 11
sleeping bag, el saco de dormir, 47
slide, el tobogán, 29
slipper, la pantufla, 10
small, pequeño, pequeña, 55
smell (to), oler, 7
smile, la sonrisa, 17
smile (to), sonreír, 4
smoke, el humo, 47
snake, la serpiente, 47
sneaker, el tenis, 18
sneeze (to), estornudar, 28
snorkel, el esnórquel, 36
snow, la nieve, 48
snowball, la bola de nieve, 49
snowboard, la tabla de esquiar, 49
snowman, el muñeco de nieve, 48
soap, el jabón, 12
soccer, el fútbol, 50
soccer ball, el balón de fútbol, 50
soccer player, el/la futbolista, 50
sock, el calcetín, 11
son, el hijo, 4
soup, la sopa, 22
spaghetti, los espaguetis, 22
spectator, el espectador, la espectadora, 50
spill (to), derramar, 6
splash (to), salpicar, 36
sponge, la esponja, 13
spoon, la cuchara, 16
squid, el calamar, 52
squirrel, la ardilla, 28
stable, el establo, 44
stairs, las escaleras, 14
stand (to), estar parado, parada, 39
stapler, la grapadora, 25
star, la estrella, 34
starfish, la estrella de mar, 52
stomach, el estómago, 33
stop (to), detenerse, 41
store, la tienda, 38
store clerk, el vendedor, la vendedora, 19
storm, la tormenta, 42

stove, la cocina, 7
strawberry, la fresa, 41
street, la calle, 39
stretcher, la camilla, 32
stripes, las rayas, 35
strong, fuerte, 26
student, el/la estudiante, 24
stuffed animal, el animal de peluche, 10
submarine, el submarino, 52
subtract (to), restar, 25
subway, el metro, 38
sugar, el azúcar, 6
suit, el traje, 19
suitcase, la maleta, 56
summer sports, los deportes de verano, 50
sun, el sol, 37
sunglasses, los anteojos de sol, 36
sunny, soleado, soleada, 53
suntan lotion, la loción bronceadora, 36
supermarket, el supermercado, 20
surfboard, la tabla de surf, 36
sweater, el suéter, 48
swim (to), nadar, 36
swimsuit, el traje de baño, 37
swimming pool, la piscina, 51
swing, el columpio, 29
swing (to), columpiarse, 29
sword, la espada, 55
swordfish, el pez espada, 53

T

table, la mesa, 22
tablecloth, el mantel, 23
tail, la cola, 27
take a shower (to), tomar una ducha, 13
take off (to), despegar, 57
take photos (to), tomar fotografías, 27
talk (to), hablar, 39
tape player, la grabadora, 8
target, el blanco, 31
taxi, el taxi, 38
teach (to), enseñar, 25
teacher, el maestro, la maestra, 24
team, el equipo, 51
telephone, el teléfono, 6
television, la televisión, 9